착한 개 I, II, III

착한 개 I

세계사에서 태양이 개인적으로 말을 건네려고 고른 첫 번째 사람은 오르페우스(나)였고 두 번째 사람은 프랭크 오하라[1]였다 '당신은 내 자기야' 태양이 말했다 그는 트럭 보닛에 앉아 있었고 어쨌든 그건

위협적이어서 나는 무슨 말을 해야 하나 트럭에 타는데 그 이상한 가을빛이 유리란 유리를 죄 날카롭게 벼려놓고 내 두 손을 베어 툭 떨어뜨렸다 태양이 옆자리에 타더니 손을 하나씩 집어 손가락마다 일종의 소리를 불어넣어서

돌려주었지 그것이 내 흥미로운 존재로서의 시작 거의 기억나지 않는 지옥에서의 십오 분 추웠고 뿌리를 귀로 쓰는 창조되지 않은 것들이 여기저기 스며 나오는 것을 본 기억이 난다 뿌리들은 수 세기 동안

아무 목소리도 듣지 못했다 나는 노래 몇 마디를 불렀다 「망령들도 눈물을 떨구었다」(『데일리 미러』)[2] 에우리디케가 절뚝거리며 오고 변호사들이 계약 조건들을 읊으며 도착했다 이내 우리는 넓은 홀을 가로지르고 나는 반향에 감탄하며 여기서 재즈 공연을 열 수 있을지 궁금해진다 '여기 땅밑은

전화번호가 어떻게 돼?' 나는 돌아서며 말했다 뿅 우리 슬픈 불운을 얘기할까요 내 온몸의 살갗이 마주 소리쳤고 내 날개가 모두 한꺼번에 펄럭였고 그것이 다였다 그녀가 '누구?'라는 말밖에 하지 않았다는 이야기는 거짓말 나는 원래 녹음할 생각이었다

이 텅 빈 시가(詩歌)의 무대를 걷는 다리에 감기는 치맛자락 소리를 그녀는 모델이었다 내가 이 길의 처음 당연히 아무도 무대를 달리지 않고 다만 그 치마들 그 다리들은 퓨마 같고 그녀가 말한 욕망은 '입술이 내뱉기 전에는' 유해하지 않으나 그다음에는 조심해 여느

커플처럼 우리가 주머니에 쓸데없는 여름 돈을 잔뜩 넣은 채 서로 반대 방향을 골똘히 쳐다보며 식당에 말없이 앉아 있었다고 해서 우리가 잔뜩 화가 난 회문(回文)이었다는 의미는 아니다 여느 커플처럼 '휘파람 불지 마 난 너의 착한 개가 아니야' 그녀는 말하곤 했고 나도 말하곤 했다 '못 가

이 시간에 수영이라니' 이야기를 하나 해줄게 내가 쓴 최고의 시 내가 잃어버린 시에 관하여 그 페이지는 굉장했는데 슬쩍 빠져나갔지

유럽을 굽어보는 해안들과 내려다보는 내가 있는 꿈에서 나는 마치 마치 아 대양 위에서 모든 답을 가졌어라 내가 답이었어라! 나는 떠오르는 낮처럼 높았고 내게서 진실이 종다리처럼 튀어나갔어라 수년 전에 이것들은 내가 쓰지 않은 눈물들 나는 잃었다

움직일 때마다 그 페이지를 잃고 또 잃고 찾고 또 찾고 마침내 비닐 케이스 안에 든 것을 붙잡아 TV 위에 두었다 찢기고 누렇게 변색되어 이제 몇몇 단어들만 얼룩처럼 보이는 종이 쪼가리 그건 무슨 뜻일까? '유럽을 굽어보는

해안들?' 나는 찾아내지 못했다 나는 가끔 골똘히 살펴보다 바라건대

나는 있었고 나는 잃었고 나는 노래했고 나는 알았고 나는 언젠가 저 이상한 가을빛을 쳐다본다 에우리디케에게서 떨어진 (나의) 쪼가리 그녀의 전화번호를 찢어내고 나는 그녀를 잃고 내가 쓴 종다리와 그녀는 수영하러 갔고 역사가 한 번 두 번 접혔고 '그건 다시는 연주하지 마 그건 완벽했어' 울부짖는 돌멩이들 사이로 사라지는 그녀의 머리

착한 개 II

자 간다.
앞서 헤치고 나가는 녀석.
언제나처럼, 언제나처럼.

오해하지 마.
지옥의 삶은
큰일이야.

존재가 결국은
멈춘다. 나는 갈 테야
네가 가는 곳으로

나를 둘러싼 길
크리스마스같이.
땅거미가 진다.

내 마음속으로
바로 그때
있었지, 만약

같은 순간
공명이
8세기 이래로

긴 복도를 내려가
(다들 지옥을
긴 복도로 알지)

조심해
쏟지 마,
에우리디케 1이 말한다

둘은 노래한다
회문들!
알겠어?

착한 개야.
저기 그의 휘파람 소리.
나는 뒤따른다.

여기
추워, 너무 추워서
뭐든 –

내가 말했고, 그가 말했지
내겐 끔찍한
딸랑거리는 작은

오 헬(O hell) –
헬로(hello)의 재분할!
밀려드누나

우리는 오페라 전편을 총보(總譜)에 적고
딱 하나
순간의 시간

기원전 그리고 에우리디케를
나란히 가게 한다
그녀 자신에게로

아니면 긴 복도를 올라
당연히
우유 잔을 들고

에우리디케 2에게
자주.
그러지 않으면

나는 오줌을 눠야 해,
그는 말했고 계속해서
걷는다.

어려워라
다가가는 일은
술꾼에게, 나는 하지 않지

고주망태로, 발목을
겹친 채, 나는 어쩔 수 없이
그를 택시 밖으로 들어낸다.

그러기를 바란다!
지옥에 관한 한 가지는
메아리

영(zero)보다 적게!
발 바꿔!
나는 소리치고,

동역학. 확실히
우리는 둘 다
문제가 있어—

그런 순간
빛을 꿰뚫는.
신념은 열정,

개가 아는 것.
개가 하는 것.
들어봐.

껍질을 통과하여
형태의
형태를 위해

하지만 그건 뛴다
지옥에 있는 독방
거기 있음으로 나를 기쁘게 해줘

날 마셔버리기.
너에게 들려줄 수 있지
이야기들을, 그(him)

개는
주인을 치료할 수 있나,
오 개는

멋지다.
가로축
자기화(磁氣化)가 샌다

성큼성큼 나아가는 그
모든 협업 과정은
찾아내지 제 나름의

몸을, 영혼을
(달각달각)
그렇다 치더라도,

비트겐슈타인은 믿었지,
지혜와 달리
아니면 케임브리지와 달리.

저기 그의 휘파람 소리.
착한 개야.
계속 가자.

그 자체를.
협업
힘들어질 수 있지

나로 인해
제발!
입술이 그걸 내뱉을 때까지.

착한 개 III

내 불쌍한 '오르페우스' 진짜 이름은 아니지만 자신을 오르페우스라 생각하고 이 마을 저 마을 돌아다니며 그런 식으로 광고한다 '날 들여보내줘' 그는 말하겠지 '난 여기 바깥에서 살 수 없어' 그는 진지하다 아이 때 이후로 그는 세상의 소리를 하나도 빠짐없이 낱낱이 듣는다 이 때문에 그는 완전히 미칠 지경이다 석회암 조각에 귀를 대면 산소 원자 세 개가 칼슘 원자 하나에 스치는 소리가 들리고 입을 벌리면 정확한 소리가 나온다 풍경이나 공포나 표범이나 부러지는 늑골을 노래한다 그를 표범이라 생각한 표범들이 그를 따른다 마을 사람들에겐 저마다의 문제가 있고 어느 마을에는 앞에서 뒤로 머리를 민 남자들이 있고 다음 마을에는 뒤에서 앞으로 머리를 민 남자들이 있다 두 패거리는 정기적으로 그 문제를 놓고 전쟁을 벌이며 저마다 상대의 관행이 '우리의 타고난 존재를 파괴하고 해친다'고 말한다 그는 그저 어둠에 머리를 기대고 신음할 것이다 그에게 아직 개가 있기를 바랄 뿐

[1] 프랭크 오하라(Frank O'Hara, 1926~1966)는 미국의 작가이자 시인, 미술비평가로 뉴욕 현대미술관 큐레이터로 일하며 뉴욕 예술계의 핵심 인물로 떠올랐다. 도회적 정서를 일상의 언어로 표현한 시들을 남겼다.

[2] '망령들도 눈물을 떨구었다'는 토머스 불핀치의 『그리스로마 신화』에서 오르페우스가 하계를 찾아가 아내를 찾으러 온 사연을 노래하는 대목에 나오는 문장이다. 저자는 이 문장에 한 타블로이드 신문의 제목을 출처로 붙임으로써 가십성 기사의 제목처럼 보이도록 의도했다.